Fo?

Novas e de.   **crockpots**

(Inclu.   **. de sopa)**

Reuben Carrasco

Traduzido por Jason Thawne

Reuben Carrasco

Fogão lento: Novas e deliciosas receitas para crockpots
(Inclui receitas de sopa)

ISBN 978-1-989891-78-0

Termos e Condições

De modo nenhum é permitido reproduzir, duplicar ou até mesmo transmitir qualquer parte deste documento em meios eletrônicos ou impressos. A gravação desta publicação é estritamente proibida e qualquer armazenamento deste documento não é permitido, a menos que haja permissão por escrito do editor. Todos os direitos são reservados.

As informações fornecidas neste documento são declaradas verdadeiras e consistentes, na medida em que qualquer responsabilidade, em termos de desatenção ou de outra forma, por qualquer uso ou abuso de quaisquer políticas, processos ou instruções contidas, é de responsabilidade exclusiva e pessoal do leitor destinatário. Sob nenhuma circunstância qualquer, responsabilidade legal ou culpa será imposta ao editor por qualquer reparação, dano ou perda monetária devida às informações aqui contidas, direta ou indiretamente. Os respectivos autores são proprietários de todos os direitos autorais não detidos pelo editor.

Aviso Legal:

Este livro é protegido por direitos autorais. Ele é designado exclusivamente para uso pessoal. Você não pode alterar, distribuir, vender, usar, citar ou parafrasear qualquer parte ou o conteúdo deste ebook sem o consentimento do autor ou proprietário dos direitos autorais. Ações legais poderão ser tomadas caso isso seja violado.

Termos de Responsabilidade:

Observe também que as informações contidas neste documento são apenas para fins educacionais e de entretenimento. Todo esforço foi feito para fornecer informações completas precisas, atualizadas e confiáveis. Nenhuma garantia de qualquer tipo é expressa ou mesmo implícita. Os leitores reconhecem que o autor não está envolvido na prestação de aconselhamento jurídico, financeiro, médico ou profissional.

Ao ler este documento, o leitor concorda que sob nenhuma circunstância somos responsáveis por quaisquer perdas, diretas ou indiretas, que venham a ocorrer como resultado do uso de informações contidas neste documento, incluindo, mas não limitado a, erros, omissões, ou imprecisões.

ÍNDICE

Parte 1

INTRODUÇÃO

Slow Cookers (uma panela de cozimento lento) estão tendo o ressurgimento da popularidade. Slow Cookers não são mais vistas como um método ultrapassado de cozinhar, pelo menos até agora; as receitas tem deixado algo a desejar...

Uma slow cooker básica é redonda ou oval e tem uma tampa de vidro. A panela é feita de cerâmica vidrada ou porcelana, cercada por um invólucro de metal que contém o elemento de aquecimento elétrico.

A tampa é geralmente feita de vidro e fica em uma ranhura na borda da panela; é onde que o vapor condensado se acumula e dá uma vedação de baixa pressão à panela. O conteúdo da slow cooker é, portanto, ligeiramente pressurizado.

A maioria das slow cookers tem dois ajustes de calor (baixo e alto); e não tem controle de temperatura. Elas simplesmente transferem calor constante ao conteúdo.

Vantagens

Há muitas vantagens em usar umaslow cooker, incluindo poder usar cortes de carne mais baratos (que são adequados para cozimento). Esses cortes costumam ser mais saborosos do que os guisados usando cortes caros de carne, já que a cozedura lenta geralmente amacia a carne. A baixa temperatura de cozimento lento torna quase impossível queimar alimentos, mesmo que você cozinhe por muito tempo; no entanto, há uma tendência de algumas carnes e vegetais ficarem quase sem gosto quando cozidos demais.

Eu amo minha slow cooker porque posso colocá-la para cozinhar lentamente antes de sair para o trabalho, e estará pronto no meu retorno.

Também reduz a lavagem à medida que tudo é cozido numa única panela e a baixa temperatura de cozedura e a panela envidraçada tornam a limpeza bem fácil.

Maryanne

Equipamento

Você obviamente precisará de umaslow cooker, mas também precisará de um prato ou tigela que caiba dentro da slow cooker (para pudins cozidos no vapor) e eu acho o meu Processador de Alimentos de grande valor.

Além disso, você só precisará do seu equipamento de cozinha habitual, incluindo facas, pratos, tábuas de cortar etc.

Tipos de Slow Cooker

- Aqui estão algumas dicas para ajudá-lo:

- Se você estiver cozinhando pão de ló ou pudim, tente não levantar a tampa durante o tempo de cozimento ou a condensação irá escorrer pelos lados e criar manchas úmidas no topo do pudim.

- Se você estiver cozinhando um pudim cozido no vapor, cubra o vaporizador com uma tampa feita de papel plissado e depois papel alumínio para induzi-lo a subir enquanto cozinha.

RECEITAS

Arroz Doce

Ingredientes

- 200g de arroz
- raspas de 1 limão
- rapas de 1 laranja
- 1 litro leite integral
- 100g de açúcar refinado
- 85g de passas ou sultanas
- 1 ramo de canela
- 100g de açúcar mascavo castanho claro
- 3 colheres de sopa de creme de leite

Instruções

1. Coloque o arroz na slow cooker com 500ml de água e as raspas de limão e laranja.
2. Cozinhe em fogo alto por cerca de 1 hora e, em seguida, misture o leite e o açúcar.
3. Cozinhe por 2 horas em fogo alto, até que o arroz esteja macio e o molho tenha engrossado.
4. Em uma panela pequena coloque as passas, canela, mascavo e 100ml de água.
5. Aqueça suavemente até o açúcar derreter e depois borbulhar até ficar homogêneo.

6. Retire do fogo e misture o creme de leite, depois deixe esfriar na panela.
7. Para servir, divida o arroz doce em 8 taças e cubra com uma colherada de passas.

Compota de Maçã

Ingredientes

- 100g de manteiga sem sal
- 750g de maçãs verde, descascadas e picadas
- 100g de açúcar refinado
- 1 vagem aberta de baunilha

Instruções

1. Pré aqueça a slow cooker em alta temperatura e adicione a manteiga.
2. Quando começar a derreter adicione as maçãs, o açúcar e a vagem de baunilha.
3. Cozinhe em fogo baixo por 2 horas ou até obter uma textura espessa.
4. Remova a vagem de baunilha e reserve para uso posterior.
5. Sirva com iogurte Grego grosso.

Muffin de Pêssego

Ingredientes

- 60g de açúcar refinado para o caramelo
- 40g de manteiga sem sal derretida
- 410g de pêssego em calda enlatado, escorrido, mas mantenha 50ml de caldada lata
- 320g de farinha de trigo com fermento
- 2 pitadas de sal
- 70g de açúcar refinado
- 568ml de leite
- 2 ovos médios
- Chantilly para servir

Instruções

1. Coloque 60g de açúcar na slow cooker e cozinhe em fogo baixo até que o açúcar derreta e se transforme em um caramelo leve.

2. Adicione as metades de pêssego ao prato, com o lado plano para baixo.

3. Em uma tigela separada, misture o sal, a farinha de trigo e o açúcar de confeiteiro.

4. Em seguida, adicione o leite, os ovos e a calda de 50 ml e bata levemente.

5. Volte a colocar o prato de cerâmica da slow cooker no suporte e unte o interior com manteiga derretida.

6. Em seguida, despeje a mistura de massa sobre os pêssegos com caramelo.

7. Coloque a tampa no topo e deixe cozinhar em fogo baixo por 2-3 horas.

8. Sirva com uma colherada grande de chantilly por cima.

Pudim Esponja no Vapor

Ingredientes

- 100g de farinha de trigo com fermento
- 100g de açúcar refinado
- 100g de manteiga amolecida
- 2 ovos caipiras
- 25 ml de leite
- 4 colheres de sopa de mel
- 1 colher de chá de gengibre

Instruções

1. Unte e polvilhe com farinha quatro tigelas de cerâmica (que caberão todas naslow cooker).

2. Misture a farinha de trigo, o açúcar, a manteiga, os ovos e o leite no processador de alimentos e bata até obter uma massa homogênea.

3. Em uma tigela separada misture o mel e o gengibre moído e coloque uma colher na base de cada tigela.

4. Despeje a mistura da esponja por cima.

5. Coloque as tigelas na slow cooker e, em seguida, encha com água a metade das tigelas.

6. Cozinhe em fogo baixo por 2 horas.

7. Para servir, despeje o pudim esponja em um prato e coloque um pouco de creme.

Pão de Ló com Cítrica e Mel

Ingredientes

- 2 colheres de sopa de mel, mais 1 colher de sopa extra
- 1 limão, raspas e polpa fatiada em rodelas
- 1 laranja, raspas e polpa fatiada em rodelas
- 110 g de açúcar refinado

- 110g de farinha de trigo fermentada
- 125g de manteiga macia, além de extra para untar
- 1 ovo caipira

Instruções

1. Coloque as raspas de laranja e limão, açúcar, farinha, manteiga, ovo e mel em um processador de alimentos e misture até ficar homogêneo.

2. Unte uma pequena tigela à prova de fogo (que ficará dentro da slow cooker) com manteiga e pincele com o mel extra.

3. Forre a taça com as rodelas de laranja e limão.

4. Deite a massa do pão no copo e cubra com filme plástico.

5. Coloque a tigela na slow cooker e cozinhe em fogo baixo por 4 horas, ou até que o pão de ló esteja cozido.

Pão de Ló de Frutos Silvestres

Ingredientes

- 500g de frutos silvestres congelados
- 2 colheres de sopa de açúcar
- 225g de farinha de trigo

- 225g de manteiga
- 225g de açúcar
- 4 ovos

Instruções

1. Coloque as frutas todas em uma tigela refratária e polvilhe com o açúcar.

2. Pré aqueça a slow cooker por 15 minutos em fogo alto e, em seguida, encha-a 1/3 com água fervente.

3. Coloque o restante dos ingredientes em um processador de alimentos e misture.

4. Despeje a mistura do pão uniformemente sobre a fruta.

5. Coloque a tigela na slow cooker e cozinhe em fogo baixo por 4 horas.

6. Sirva com um fio de creme fresco.

Pudim de Banana e Passas

Ingredientes

- 3 bananas maduras, amassadas
- 150g de manteiga sem sal, além de extra para untar
- 1 vagem de baunilha, aberta, sementes raspadas
- 175 g de açúcar refinado

- 2 ovos caipiras, batidos
- 175g de farinha de trigo com fermento
- 75g de passas douradas
- 50g de cerejas cristalizadas, picadas

Instruções

1. Pré-aqueça a slow cooker em fogo alto por 15 minutos.

2. Unte seis tigelas com manteiga.

3. Em seguida, em uma tigela, misture a manteiga e o açúcar, usando uma colher de pau, até que a mistura fique pálida e fofa.

4. Aos poucos, adicione os ovos e bata-os na mistura, certificando-se de que cada adição de ovo tenha sido totalmente misturada antes de adicionar a seguinte.

5. Adicione a farinha, as sementes de baunilha, as passas douradas, as cerejas cristalizadas picadas e a banana amassada e mexa bem.

6. Divida a massa igualmente entre as tigelas preparados.

7. Coloque-as na slow cooker (quantos couber) e adicione água fervente suficiente para chegar até a metade dos lados dos moldes da tigela.

8. Cozinhe em fogo baixo por 3 horas, ou até que um espeto inserido no centro de cada pudim saia limpo.

Pudim de Pão de Ló

Ingredientes

Para o pão
- 75g de açúcar refinado
- 75g de manteiga sem sal, amolecida, mais extra para untar
- 50g de amêndoas
- 75g de farinha de trigo com fermento
- 2 colheres de sopa de leite

Para a calda de frutas
- 200g de frutas mistas, descongeladas
- 1 colher de sopa de açúcar refinado
- 1 colher de sopa de licor Kirsch

Instruções

1. Primeiro coloque o açúcar, manteiga e amêndoas em um processador de alimentos e misture.

2. Adicione a farinha de trigo e leite suficiente para unir e misture novamente.

3. Prepare uma tigela de pudim untando com manteiga e polvilhe com farinha.

4. Despeje a mistura do pão e coloque a tigela na slow cooker.

5. Cozinhe em fogo baixo por 4 horas.

6. Enquanto isso, para fazer a calda de frutas, coloque as frutas, o açúcar refinado e o Kirsch em uma frigideira em fogo médio.

7. Deixe ferver e cozinhe por cinco minutos.

8. Para servir, vire o pudim em um prato e despeje sobre ele a calda de frutas quente.

Pudim de Tortilha

Ingredientes

- 8 tortilhas de farinha
- 125g de cranberries secos
- 50g de manteiga
- 50g de açúcar refinado
- 250ml de leite
- 250ml creme de leite
- 3 ovos
- Algumas gotas de essência de baunilha
- 3 colheres de sopa de geleia de cranberry

Mergulhe os cranberries na água durante a noite.

Instruções

1. Unte levemente a tigela da slow cooker com um pouco de manteiga.
2. Espalhe a manteiga restante sobre as tortilhas e corte em fatias.
3. Coloque metade das tortilhas na slow cooker e espalhe sobre os cranberries.
4. Cubra com as tortilhas restantes.
5. Em seguida em uma tigela separada misture o leite, creme de leite, açúcar, ovos e baunilha e despeje sobre as tortilhas.
6. Cozinhe na slow cooker em fogo baixo por 45 minutos ou até ficarem dourados.
7. Transfira para o forno normal se quiser dourar o topo.
8. Aqueça a geleia de cranberry e espalhe levemente por cima.

Pudim de Chocolate Cozido no Vapor

Ingredientes

• 50g de chocolate puro sem açúcar

- 115g de farinha de trigo
- 115g de açúcar refinado
- 1 colher de sopa de cacau em pó sem açúcar
- 125 ml de leite desnatado
- 1 ovo
- 1 colher de chá de fermento em pó
- ½ colher de cháde noz-moscada ralado
- 100g de avelã, torrada e picada
- margarina, para untar

Instruções

1. Derreta o chocolate em uma tigela sobre uma panela de água quente.

2. Em um processador de alimentos, misture os ingredientes restantes, exceto as avelãs, e misture por alguns minutos a baixa velocidade.

3. Adicione o chocolate derretido e misture novamente em alta velocidade. Acrescente as avelãs.

4. Unte levemente uma tigela para pudim com margarina.

5.Coloque a massa na vasilha e cubra-a com uma tampa ou uma folha untada de papel alumínio firmemente amarrada com barbante.

6. Coloque a vasilha no fundo da tigela da slow cooker.

7. Despeje água fervente na tigela até que chegue três quartos da lateral da vasilha.

8. Cozinhe em fogo baixo por cerca de 2 - 2,5 horas ou até que um palito saia limpo.

9. Retire o pudim da panela e deixe esfriar por dez minutos.

10. Passe uma faca ao redor da borda para soltar e inverter em uma travessa.

11. Sirva com creme de baunilha.

Pudim Pão com Manteiga

Ingredientes

- 2 ovos ligeiramente batidos
- 570ml de leite
- 1 baunilha
- ½ colher de chá de Canela
- ¼ colher de chá de Sal
- 300g de pão em cubos (3cm)
- 85g de açúcar mascavo
- 50g de passas

Instruções

1. Na tigela, misture os ovos, o leite, a baunilha, a canela, o sal, o pão, o açúcar e as passas.

2. Em seguida, despeje a mistura na tigela da panela.

3. Cubra e cozinhe na slow cooker em fogo alto por 2 horas.

4. Sirva o pudim quente com sorvete.

Pudim Esponja de Abacaxi

Ingredientes

- 175g de manteiga, amolecida, mais extra para untar
- 4 colheres de sopa de melado
- 175 g de açúcar refinado
- 175g de farinha de trigo com fermento
- 3 ovos de galinha caipira
- 125g de abacaxi picado

Instruções

1. Unte quatro pequenas tigelas de cerâmica com manteiga.

2. Espalhe o melado no fundo delas.

3. Em um processador de alimentos, misture a manteiga, o açúcar, o trigo e os ovos até ficar homogêneo.

4. Adicione o abacaxi e bata novamente até ficar homogêneo.

5. Divida a mistura entre as tigelas.

6. Coloque na panela da slow cooker e cozinhe por 2 horas em fogo baixo (ou até que um palito saia limpo).

7. Para servir, retire o pudim esponja e adicione uma colher de sorvete de baunilha.

Pudim Roly Poly

Ingredientes

- 150g de farinha de trigo
- 75g de óleo vegetal
- 100 ml de água fria
- 1 pitada de sal
- 5 colheres de sopa de geleia de ameixa

Instruções

1. Misture o trigo, o óleo e o sal juntos em uma tigela grande. Adicione água suficiente para fazer uma massa macia, mas não pegajosa.

2. Amasse levemente em uma tábua levemente enfarinhada por alguns minutos antes de desenrolá-la em uma

espessura de 1 cm / ½ pol. E em uma forma quadrada de 20 cm / 8 pol.

3. Espalhe uma espessa camada de geleia sobre um lado da massa, deixando uma borda de 1cm / ½cm, que você umedece com um pouco de água.

4. Enrole levemente, apertando as extremidades ao mesmo tempo para impedir que a geleia de vazar.

5. Coloque o rolo em uma vasilha para pudim levemente untada com manteiga (pode ser necessário cortá-lo em dois ou envolvê-lo).

6. Coloque a bacia do pudim na tigela da panela e acrescente água fervente (na metade da tigela do pudim).

7. Cozinhe em fogo alto por 1 hora.

8. Sirva uma fatia espessa única, com creme de baunilha.

Spotted Dick

Ingredientes

- 175g de groselha
- 85g de uva passa sultanas

- 1½ colher de sopa de casca de laranja ralada
- 2 colheres de sopa de suco de laranja fresco
- 280g de farinha de trigo
- 140g de óleo
- 1 colher de chá de sal
- 2 colheres de chá de fermento em pó
- 200 ml de leite
- manteiga, para untar
- sorvete de baunilha, para servir

Instruções

1. Em uma tigela, misture os frutos secos, gengibre picado, casca de laranja e suco e reserve.

2. Em outra tigela, misture o trigo, o óleo, o sal e o fermento.

3. Adicione o leite, misturando à medida que o adiciona, até a massa se unir (e você conseguir rolar). Adicione mais leite, se necessário.

4. Escorra a fruta e enrole a massa em um retângulo espesso e polvilhe sobre metade da fruta drenada.

5. Dobre a massa ao meio e polvilhe metade da fruta restante. Abra-a

novamente e repita com o restante da fruta.

6. Forme uma salsicha e coloque na base untada com manteiga da slow cooker.

7. Cozinhe por 3 horas em fogo baixo.

8. Sirva em fatias com uma colher de sorvete de baunilha.

Pudim Esponja de Geleia

Ingredientes

- 50g de geleia de morango ou framboesa
- 175g de manteiga, amolecida, mais extra para untar
- 50g de melado
- 75 g de açúcar refinado
- 3 ovos caipiras, levemente batidos
- 175g de farinha de trigo com fermento
- 40 g de geleia de morango ou framboesa

Instruções

1. Espalhe manteiga no interior de uma vasilha para o pudim.

2. Coloque a geleia na base da vasilha do pudim e reserve.

3. Em um processador de alimentos, bata a manteiga, o melado e o açúcar juntos até que fiquem leves e fofos.

4. Bata metade dos ovos, seguido por metade do trigo e quando bem misturado, adicione os ovos restantes e farinha.

5. Adicione um pouco de leite se a mistura estiver muito espessa.

6. Coloque a mistura na vasilha do pudim e alise a superfície com as costas de uma colher.

7. Adicione à tigela da slow cooker e adicione água fervente ao redor da vasilha (até atingir a metade dela)

8. Cozinhe em fogo baixo por 3 horas. (O pudim está pronto quando um palito inserido no centro do pudim sair limpo).

9. Para servir, coloque a geleia extra sobre o pudim, corte em fatias grossas e sirva com creme.

Pudim Esponja de Melado

Ingredientes

• 175 g de manteiga sem sal, amolecida

- 1 colher de sopa de pão ralado branco fresco (farinha de rosca).
- 175 g de açúcar refinado
- 3 ovos grandes, batidos
- Cascas de 1 limão
- 4 colheres de sopa de melado
- 175g de farinha de trigo com fermento
- 2 colheres de sopa de leite

Instruções

1. Use uma pequena porção de manteiga para untar bem uma vasilha de pudim de 1 litro.

2. Em uma tigela pequena, misture a calda (melado) com a farinha de rosca e, em seguida, despeje na vasilha do pudim.

3. Bata a manteiga com o açúcar e as raspas até ficar leve e fofa e, em seguida, adicione os ovos gradualmente.

4. Acrescente a farinha e, finalmente, adicione o leite.

5. Coloque a mistura em um pequeno prato que ficará dentro da slow cooker.

6. Encha a slow cooker com água fervente ao redor dos lados.

7. Cozinhe em fogo alto por 4 horas até que um palito saia limpo.

Sobremesa de Lima &Limão

Ingredientes

- 180g de Manteiga, amolecida
- 180 g de açúcar refinado
- 80g de farinha de trigo com fermento
- 1 / 1/2 colher de sopa de casca de limão
- 1 / 1/2 colher de sopa de casca de lima
- 3 colheres de sopa de suco de limão
- 3 colheres de sopa de suco de lima
- 3 gemas de ovo
- 360ml de leite
- 4 claras de ovos

Instruções

1. Em um processador de alimentos, bata a manteiga e o açúcar até ficar leve e fofo.
2. Misture o trigo e as cascas e sucos de limão e lima.
3. Misture as gemas e o leite em uma tigela separada e acrescente na mistura de manteiga.
4. Bata as claras até ficarem firmes e depois acrescente na massa.

5. Mergulhe a mistura em uma tigela à prova de fogo levemente untada e cubra com papel alumínio.

6. Despeje uma xícara de água na slow cooker, coloque a tigela de pudim.

7. Cubra e cozinhe em fogo baixo por 5-6 horas (O pudim está pronto quando um palito inserido no centro do pudim sair limpo).

8. Sirva com creme ou sorvete.

Pudim de Chocolate

Ingredientes

- 100g de manteiga sem sal derretida
- 120ml de leite
- 1 ovo
- 125g de farinha de trigo com fermento
- 2 colheres de cacau
- 70g de açúcar refinado
- 2 colheres de cacau em pó
- 170g de açúcar mascavo
- 480ml de água fervente

Instruções

1. Em uma tigela, misture a manteiga, o leite e o ovo.
2. Em uma tigela grande separada, peneire a farinha de trigo e o cacau juntos e misture o açúcar.
3. Adicione gradualmente a mistura de manteiga / ovo na mistura do trigo e misture bem.
4. Coloque em uma tigela de pudim e coloque na slow cooker (não é necessário água ao redor da tigela).
5. Para a calda, junte o cacau eo açúcar mascavo e polvilhe por cima da mistura de pudim.
6. Cuidadosamente despeje água fervente sobre a mistura
7. Tampe e cozinhe em fogo baixo por 5-6 horas. (O pudim está pronto quando um palito inserido no centro do pudim sair limpo).
8. Sirva quente com sorvete.

Pudim de Cereja Preta

Ingredientes

- 50g de Manteiga
- 50g de açúcar refinado
- 50g de farinha de trigo com fermento
- 1 ovo
- 1 colher de sopa de cacau
- ¼ colher de chá de fermento em pó
- 1 x 425g de cerejas pretas sem caroço, secas
- 150 ml de creme de leite

Instruções

1. Pré aqueça a slow cooker por 5 minutos.
2. Unte o interior de quatro tigelas com manteiga e forre a base de cada um com um pedaço de papel manteiga
3. Em uma tigela coloque a manteiga, o açúcar, o trigo, o ovo, o cacau e o fermento em pó e bata com uma colher de pau até ficar homogêneo
4. Organize ¾ das cerejas no fundo da tigela.
5. Pique o restante e misture na mistura.
6. Divida entre as tigelas e nivele os topos.
7. Cubra com papel alumínio e coloque na tigela da slow cooker.

8. Despeje água fervente na slow cooker até chegar à metade da tigela

9. Cozinhe em fogo alto por 2 horas ou até que os pudins tenham subido.

10. Sirva com um fio de creme de leite.

Pudim de Chocolate Molhado

Ingredientes

- 110g de manteiga
- 110 g de açúcar refinado
- 2 ovos grandes batidos
- 85g de farinha de trigo com fermento
- 15g de amido de milho
- 15g de cacau em pó
- 55g de chocolate, derretido com 3 colheres de chá de leite morno

Instruções

1. Pré-aqueça a slow cooker e adicione nela 2 xícaras de água

2. Bata a manteiga e o açúcar até obter um creme fofo e claro

3. Adicione os ovos um pouco de cada vez

4. Peneire o trigo, o amido e o cacau em pó e acrescente na mistura de manteiga

5. Adicione a mistura de chocolate derretido e mexa para fazer uma mistura suave que descole facilmente de uma colher

6. Unte uma vasilha de 900ml para pudim (ou tamanho apropriado para colocar na sua slow cooker) e coloque a mistura.

7. Cubra com papel manteiga (com uma prega no meio para expansão)

8. Coloque a vasilha na slow cooker por 6,5 horas em fogo alto.

9. Sirva com sorvete de baunilha.

Pudim Inglês Cozido

Ingredientes

- 3 ovos
- 2 colheres de açúcar
- leite 480ml
- ½ colher de chá de baunilha
- Noz-moscada a gosto

Instruções

1. Bata os ovos com açúcar e misture os ingredientes restantes
2. Coloque em uma tigela à prova de fogo untada que caiba dentro de sua slow cooker.
3. Cubra a tigela com papel alumínio e despeje a água quente naslow cooker.
4. Coloque delicadamente a tigela na slow cooker (certifique-se de que a água não vaze pelos lados)
5. Cozinhe em fogo baixo por 6-8 horas e depois sirva quente.

Pudim de Ameixa

Ingredientes

- 125g de farinha de trigo
- 140g de frutas mistas ou sultanas
- 85g de açúcar
- 2 colheres de sopa de manteiga
- ½ colher de chá de bicarbonato de sódio
- 120 ml de água quente
- 60 ml de água

Instruções

1. Primeiro derreta a manteiga com a água quente em uma tigela.

2. Em uma tigela separada, dissolva o bicarbonato de sódio em água fria.

3. Misture todos os ingredientes em uma tigela e deixe durante a noite.

4. Mexa e transfira para uma tigela de pudim untada (que caiba na slow cooker).

5. Cozinhe em fogo alto por 4 horas (O pudim está pronto quando um palito inserido no centro do pudim sair limpo).

6. Sirva com creme.

Pudim de Melado Cozido no Vapor

Ingredientes

- ½ xícara de melado
- 125g de manteiga amolecida
- ½ xícara de açúcar refinado
- 2 ovos
- 1 ½ xícaras de farinha de trigo fermentada
- 2/3 xícara de leite

Instruções

1. Unte uma tigela para pudim (que caiba na slow cooker) e despeje a calda.

2. Bata a manteiga e o açúcar até obter uma cor pálida e cremosa

3. Adicione os ovos, um de cada vez, batendo bem entre cada adição

4. Junte o trigo e o leite em alternadamente

5. Coloque a mistura na tigela do pudim e alise a superfície

6. Cubra com papel alumínio (com uma dobra para permitir a expansão)

7. Coloque na slow cooker e adicione água fervente (para chegar até a metade do lado da tigela do pudim)

8. Cubra e cozinhe em fogo alto por 2 horas.

9. Sirva quente com sorvete e calda extra.

Cheesecake de Laranja

Ingredientes
• Spray de cozinha antiaderente
• 350g de Queijo cremoso com gordura reduzida
• 85g de açúcar

- 1 colher de chá de casca de laranja finamente picada
- 2 colheres de sopa de suco de laranja
- 1 colher de sopa de farinha de trigo
- ½ colher de chá de baunilha
- 120 g de creme de leite com baixo teor de gordura
- 3 ovos levemente batidos
- 240 ml de água morna
- 2 laranjas de sangue médias, fatiadas

Instruções

1. Unte levemente uma tigela para pudim com spray de cozinha.

2. Em seguida, em uma tigela grande, bata o cream cheese, o açúcar, o suco de laranja, o trigo e a baunilha com um misturador elétrico até misturá-los

3. Bata os ovos até que estejam misturados e, em seguida, junte com a casca de laranja.

4. Despeje o recheio na tigela do pudim.

5. Em seguida, despeje a água quente na slow cooker.

6. Cubra e cozinhe em fogo alto por duas horas e meia ou até que o centro esteja sólido.

7. Deixe esfriar completamente, descoberto, em uma grelha.

8. Cubra e deixe descansar por 4 a 24 horas antes de servir.

9. Decore com fatias de laranja.

Pudim de Pão com Chocolate Branco e Framboesa

Ingredientes

- 360ml de creme de leite light

- 90g quadrados de chocolate branco picados

- 50g de damascos secos

- 2 ovos

- 85g de açúcar

- ½ colher de chá de cardamomo moído

- 400g de pequenos cubos de pão secos

- 25g de amêndoas fatiadas

- 240 ml de água morna

- framboesas frescas

- Chocolate branco ralado

Instruções

1. Em uma panela pequena aqueça o creme em fogo médio até ficar bem quente, mas sem ferver.

2. Retire do fogo; adicione o chocolate branco picado e os damascos. Mexa até que os quadrados de chocolate estejam derretidos.

3. Em uma tigela, bata os ovos com um garfo; e depois misture o açúcar e o cardamomo.

4. Em seguida, adicione a mistura de chocolate e misture delicadamente os cubos de pão e as amêndoas.

5. Despeje a mistura em uma vasilha de pudim que caiba na slow cooker.

6. Acrescente a água quente na slow cooker e coloque a vasilha do pudim.

7. Cubra e cozinhe em fogo baixo por 4 horas.

Pudim de Coco e Café com Chocolate

Ingredientes

- 6 peras médias frescas e firmes
- 45g de açúcar
- 2 colheres de sopa de cacau em pó sem açúcar
- 160 ml de leite de coco sem açúcar
- 80 ml de café forte
- 2 colheres de sopa de licor de café
- chocolate ralado

Instruções

1. Descasque as peras e corte-as longitudinalmente, removendo os miolos.
2. Coloque as peras na tigela da slow cooker.
3. Em seguida, em uma tigela separada, misture o açúcar eo cacau em pó.
4. Em seguida, misture o leite de coco, o café e o licor e misture bem.
5. Despeje a mistura sobre as peras na slow cooker.
6. Cozinhe em fogo baixo por 3 ½ a 4 horas ou até que as peras estejam macias.
7. Transfira as peras para pratos de sobremesa e coloque sobre o líquido.
8. Cubra com chocolate ralado.

Pudim de Limão &Mirtilo

Ingredientes
- •3 ovos
- Spray de cozinha antiaderente
- 100g de mirtilos frescos
- 1 colher de sopa de açúcar granulado
- 85g de açúcar granulado
- 30g de farinha de trigo
- 2 colheres de chá de casca de limão finamente picadas
- ¼ colher de chá de sal
- 240 ml de leite desnatado
- 3 colheres de sopa de suco de limão
- 3 colheres de sopa de óleo vegetal

Instruções

1. Cubra a slow cooker com spray de cozinha e coloque as frutas nela e polvilhe com 1 colher de sopa de açúcar granulado.
2. Para massa, separe os ovos.
3. Em uma tigela média, misture o açúcar granulado, o trigo, a casca de limão e o sal.
4. Em seguida, adicione o leite, o suco de limão, o óleo vegetal espalhado e as

gemas e bata com a batedeira até misturá-los.

5. Em outra tigela bata as claras e depois acrescente na massa.

6. Cuidadosamente despeje a massa sobre as frutas na panela, espalhando uniformemente.

7. Tampe e cozinhe em fogo alto por 2 ½ a 3 horas.

8. Sirva com sorvete de baunilha.

Brownies de Chocolate com Morangos

Ingredientes

- spray de cozinha antiaderente
- 60g de manteiga
- 60g de chocolate sem açúcar
- 2 ovos levemente batidos
- 85g de açúcar
- 30g de geleia sem açúcar de morangos sem semente ou geleia de framboesa vermelha
- 30g de maçã sem açúcar
- 1 colher de chá de baunilha
- 40g de farinha de trigo
- ¼ colher de chá de fermento em pó

- ¼ colher de chá de sal
- 240 ml de água morna
- 350g de morangos frescos cortados

Instruções

1. Unte levemente uma vasilha para pudim com spray de cozinha.

2. Para a massa, em uma panela média derreta a manteiga e o chocolate em fogo baixo.

3. Retire do fogo e misture os ovos, açúcar, geleia, maçã e baunilha.

4. Usando uma colher bata levemente até misturar e, em seguida, misture a farinha, o fermento eo sal.

5. Despeje a massa na vasilha do pudim.

6. Coloque água morna naslow cooker e insira a vasilha do pudim (certifique-se de que a água não vaze pelos lados)

7. Cozinhe em fogo alto por 2 ½ a 3 horas.

8. Cubra cada porção com morangos.

Pudim de Pão com Chocolate e Nozes

Ingredientes

- spray de cozinha antiaderente
- 720ml de leite

- 100g de pedaços de chocolate
- 100g de cacau em pó
- 3 ovos levemente batidos
- 500g de pão de canela em cubos, seco
- 50g de nozes picadas

Instruções

1. Unte levemente o interior da slow cooker com spray de cozinha; separe.

2. Em uma panela média, aqueça o leite em fogo médio até ficar bem quente, mas sem ferver.

3. Retire do fogo e junte os pedaços de chocolate e o cacau em pó (não mexa); deixe descansar por 5 minutos. Bata até ficar homogêneo; esfrie um pouco (cerca de 10 minutos).

4. Em uma tigela grande misture os ovos e a mistura de chocolate. Misture delicadamente cubos de pão e nozes. Transfira a mistura de pão para a slow cooker.

5. Cozinhe em fogo baixo por 2 horas e meia ou até que um palito inserido próximo ao centro do pudim saia limpo.

6. Deixe esfriar, descoberto, por 30 minutos (o pudim encolherá conforme esfria).

7. Para servir, coloque pudim quente em pratos de sobremesa com sorvete de baunilha.

Pudim Choconut

Ingredientes

- Spray de cozinha antiaderente
- 125g de farinha de trigo
- 60g de açúcar
- 2 colheres de sopa de cacau em pó sem açúcar
- 1 ½ colher de chá de fermento em pó
- 120ml de leite
- 2 colheres de sopa de óleo vegetal
- 2 colheres de chá de baunilha
- 100g de pasta de amendoim
- 85g de pedaços de chocolate meio amargo
- 50g de amendoim picado
- 130g de açúcar

- 2 colheres de sopa de cacau em pó sem açúcar
- 360ml de água fervente
- Sorvete de baunilha

Instruções

1. Cubra levemente o interior da slow cooker com spray de cozinha; separe.
2. Em seguida, misture o trigo, 60g de açúcar, 2 colheres de sopa de cacau em pó e fermento em pó.
3. Em seguida, adicione o leite, o óleo e a baunilha e mexa até umedecer.
4. Misture a pasta de amendoim, pedaços de chocolate e amendoim e misture bem.
5. Espalhe esta mistura uniformemente na slow cooker.
6. Em uma tigela separada, misture 130g de açúcar e 2 colheres de sopa de cacau em pó. Aos poucos, misture a água fervente e, em seguida, despeje com cuidado a mistura sobre a massa.
7. Cozinhe em fogo alto por 2 a 2 horas e meia ou até que um palito inserido no centro do bolo saia limpo.

8. Deixe descansar, descoberto, por 30 a 40 minutos para esfriar um pouco

9. Para servir, coloque o pudim em pratos de sobremesa, com uma bola de sorvete de baunilha.

Maçãs Recheadas

Ingredientes

- 4 maçãs assadas médias
- 50g de figos secos ou passas
- 45g de xícara de açúcar mascavo
- ½ colher de chá de canela em pó
- 60ml de suco de maçã
- 1 colher de sopa de manteiga, cortada em quatro porções
- Sorvete de baunilha

Instruções

1. Tire o caroçodas maçãs; corte uma tira de casca do topo de cada maçã. Coloque as maçãs, com os lados superiores para cima, naslow cooker.

2. Em uma tigela pequena, misture figos, açúcar mascavo e canela.

3. Coloque a mistura no centro das maçãs, batendo levemente como achar melhor.

4. Acrescente o suco de maçã em volta das maçãs na slow cooker.

5. Por fim, cubra cada maçã com um pedaço de manteiga.

6. Tampe e cozinhe em fogo baixo por 4 a 5 horas.

7. Sirva as maçãs com sorvete de baunilha e um pouco do suco do cozimento.

Bolo de Pudim Maçã

Ingredientes

- Spray de cozinha antiaderente
- 600g de recheio de torta de maçã
- 70g de passas
- 125g de farinha de trigo
- 45g de açúcar granulado
- 1 colher de chá de fermento em pó
- ¼ colher de chá de sal
- 120ml de leite
- 2 colheres de sopa de manteiga derretida
- 50g de nozes picadas, torradas
- 300ml de suco de maçã

- 60g de açúcar mascavo
- 1 colher de sopa de manteiga

Instruções

1. Revestir levemente a slow cooker com spray de cozinha; separe.

2. Em seguida, em uma panela pequena, coloque o recheio de torta de maçã para ferver, junte as passas e transfira para a slow cooker.

3. Em uma tigela separada, misture a farinha de trigo, o açúcar granulado, o fermento e o sal.

4. Adicione o leite e a manteiga derretida e mexa apenas até misturar.

5. Em seguida, misture as nozes e, em seguida, despeje e espalhe a massa sobre a mistura de maçã na slow cooker.

6. Na panela, misture o suco de maçã, o açúcar mascavo e a manteiga - 1 colher de sopa.

7. Ferva suavemente por 2 minutos e, em seguida, despeje com cuidado sobre a mistura na slow cooker.

8. Cozinhe em fogo alto por 2 a 2 horas e meia ou até que um palito inserido perto do centro do bolo saia limpo.

9. Esfrie, destampado por cerca de 30 a 45 minutos.

10. Para servir, coloque o bolo quente e a calda em pratos de sobremesa.

Cheesecake de Limão

Ingredientes

- Spray de cozinha antiaderente
- 360g de cream cheese, amolecido
- 85g de açúcar
- 2 colheres de sopa de suco de limão
- 1 colher de sopa de farinha de trigo
- ½ colher de chá de baunilha
- 120 ml de coalhada
- 3 ovos levemente batidos
- 2 colheres de chá de casca de limão finamente picada
- 240 ml de água morna
- framboesas frescas
- Raminhos de hortelã frescos

Instruções

1. Unte levemente uma vasilha para pudim com spray de cozinha.

2. Em uma tigela grande, misture o cream cheese, o açúcar, o suco de limão, o trigo e a baunilha.

3. Depois bata até bem misturado.

4. Em seguida, bata a coalhada até ficar homogêneo e adicione os ovos lentamente, até misturar.

5. Adicione a casca de limão e despeje a mistura na vasilha preparada.

6. Em seguida, despeje a água morna na slow cooker.

7. Coloque a vasilha de pudim na slow cooker com cuidado.

8. Cozinhe em fogo alto por 2 horas e meia ou até que o centro esteja firme.

9. Remova cuidadosamente da slow cooker coloque em uma grelha. Tampe e deixe descansar por 4 a 24 horas.

10. Para servir, coloque o cheesecake em pratos de sobremesa.

11. Decore com framboesas e um raminho de hortelã fresca.

Crisp Tropical

Ingredientes

- Spray de cozinha antiaderente

- 600g de recheio de torta de damasco (enlatado)
- 200g de frutos secostropicais misturados
- 150g de granola
- 60g de coco torrado
- 480ml de sorvete de baunilha

Instruções

1. Unte levemente o interior da slow cooker com spray de cozinha antiaderente. Ainda na panela, acrescente o recheio de tortas e a fruta seca.

2. Tampe e cozinhe em fogo baixo por 2 horas.

3. Enquanto isso, em uma tigela pequena, misture a granola e o coco.

4. Polvilhe a mistura de frutas na panela e deixe repousar, por 30 minutos, para esfriar um pouco antes de servir.

5. Para servir, coloque a mistura morna em pratos de sobremesa.

6. Cubra com uma pequena colher de sorvete de baunilha.

Torta Deliciosa de Frutas Vermelhas

Ingredientes

- 125g de farinha de trigo
- 130g de açúcar
- 1 colher de chá de fermento em pó
- ¼ colher de chá de sal
- ¼ colher de chá de canela em pó
- ¼ colher de chá de noz moscada
- 2 ovos levemente batidos
- 3 colheres de sopa de óleo vegetal
- 2 colheres de sopa de leite
- 200g de mirtilos frescos ou congelados
- 200g de framboesas frescas ou congeladas
- 200g de amoras frescas ou congeladas
- 170g de açúcar
- 240 ml de água
- 3 colheres de sopa de tapioca de cozimento rápido
- Sorvete de baunilha

Instruções

1. Em uma tigela média, misture o trigo, 130g de açúcar, fermento, sal, canela e noz-moscada.

2. Em seguida, em uma tigela pequena, misture os ovos, o óleo e o leite.

3. Adicione a mistura de ovos de uma só vez à mistura de farinha de trigo e mexa até umedecer.

4. Em seguida, em uma panela grande, misture mirtilos, framboesas, amoras, 170g de açúcar, água e tapioca. Coloque para ferver.

5. Despeje a mistura de frutas quentes na slow cooker e, em seguida, imediatamente coloque a massa sobre a mistura de frutas.

6. Tampe e cozinhe em fogo alto por cerca de 2 horas ou até que um palito inserido no centro saia limpo.

7. Deixe descansar, destampado, por cerca de uma hora para esfriar um pouco.

8. Em seguida, sirva com sorvete de baunilha.

Pudim de Pão e Chocolate

Ingredientes

- Spray de cozinha antiaderente
- 720ml de leite
- 50g de pedaços de chocolate meio amargo

- 90g de cacau em pó
- 3 ovos levemente batidos
- 500g de pão em cubos com canela (sem passas) (cubos de 1/2 polegada), secos
- chantilly para servir

Instruções

1. Unte levemente o interior da slow cooker com spray de cozinha e reserve.

2. Em uma panela, aqueça o leite até ficar bem quente, mas sem ferver.

3. Retire do fogo, em seguida, adicione os pedaços de chocolate e 90g de cacau em pó (não mexa) e deixe descansar por 5 minutos. Bata até ficar homogêneo e deixe esfriar um pouco (cerca de 10 minutos).

4. Em seguida, em uma tigela grande, misture os ovos e a mistura de chocolate.

5. Coloque o pão em cubos na slow cooker e despeje sobre a mistura de chocolate e ovo.

6. Cozinhe em fogo baixo por cerca de 2 horas e meia ou até que um palito saia limpo.

7. Deixe o pudim descansar, descoberto, por cerca de 30 minutos para esfriar antes

de servir (o pudim vai encolher enquanto esfria).

8. Para servir, coloque pudim morno em pratos de sobremesa.

9. Se desejar, cubra cada porção com chantilly.

Torta de Maçã & Cereja

Ingredientes

• 85g de açúcar granulado

• 4 colheres de chá de tapioca de cozimento rápido

• 1 colher de chá de canela

• 675g de maçãs, descascadas, sem miolo e cortadas em fatias pequenas

• lata de 410 g de cerejas sem caroço

• 70g de cerejas secas

• Sorvete

Instruções

1. Na slow cooker misture o açúcar, a tapioca e a canela.

2. Em seguida, misture as fatias de maçã, as cerejas em conserva com a calda e as cerejas secas. Misture bem.

3. Cozinhe em fogo baixo por 6 a 7 horas.

4. Para servir, coloque a mistura de cereja e maçã em pratos de sobremesa.

5. Cubra com uma colher de sorvete.

Bolo de Pudim de Laranja & Caramelo

Ingredientes

- 1 xícara de farinha de trigo
- 60g de açúcar granulado
- Spray de cozinha antiaderente
- 1 colher de chá de fermento em pó
- ½ colher de chá de canela em pó
- ¼ colher de chá de sal
- 120ml de leite
- 2 colheres de sopa de manteiga derretida
- 50g de nozes picadas
- 25g de groselhas secas ou passas
- 180 ml de água
- ½ colher de chá de casca de laranja finamente picada
- 180ml de suco de laranja
- 115g de açúcar mascavo
- 1 colher de sopa de manteiga
- Chantilly

- Nozes picadas

Instruções

1. Unte levemente o interior da slow cooker com spray de cozinha e, em seguida, separe.

2. Em seguida, em uma tigela média, misture o trigo, o açúcar granulado, o fermento, a canela e o sal.

3. Adicione também o leite e a manteiga derretida e mexa apenas até misturar.

4. Finalmente, misture as nozes e groselhas e, em seguida, espalhe a massa uniformemente na slow cooker.

5. Em seguida, em uma panela média, misture a água, a casca de laranja, o suco de laranja, o açúcar mascavo e 1 colher de sopa de manteiga.

6. Deixe ferver, mexendo para dissolver o açúcar mascavo por 2 minutos.

7. Com cuidado, despeje a mistura sobre a slow cooker.

8. Cozinhe em fogo baixo por 5 horas e deixe descansar, destampado, por 45 minutos para esfriar um pouco.

9. Para servir, coloque o bolo de pudim em pratos de sobremesa.

10. Cubra com Chantilly e nozes picados.

Pudim de Noz-Peçã e Mel Cozido no Vapor

Ingredientes

- 115g de açúcar
- 115g de manteiga
- 2 ovos
- 115g de farinha de trigo com fermento
- 1 laranja, apenas cascas
- 1 limão, apenas cascas
- 4 colheres de sopa de mel
- 1 colher de sopa de nozes-pecã
- chantilly, para servir
- 3 colheres de sopa de calda de maçã, para servir

Instruções

1. Em uma tigela grande, bata o açúcar e a manteiga juntos.
2. Em seguida, adicione os ovos e acrescente a farinha de trigo.
3. Por fim, adicione as raspas de laranja e limão e misture bem.
4. Unte uma pequena tigela de pudim e depois coloque o mel dentro da tigela.

5. Despeje a mistura de pudim na tigela (em cima do mel).

6. Coloque na base da slow cooker e adicione um pouco de água (na metade da altura até a tigela do pudim).

7. Vire o pudim em um prato liso e sirva com chantilly e calda de maçã e uma pitada de nozes.

Compota de Frutas com Gengibre

Ingredientes

- 3 peras médias, sem miolo e em cubos
- 410gpedaços de abacaxi em calda
- 140g de damascos secos, cortados
- 3 colheres de sopa de suco de laranjaconcentrado congelado
- 2 colheres de sopa de açúcar mascavo
- 1 colher de sopa de tapioca de cozimento rápido
- ½ colher de chá de gengibre moído
- 280g de cerejas doces escuras congeladas
- Sorvete de baunilha

Instruções

1. Na slow cooker, misture a pera, o abacaxi, os damascos secos, o concentrado de suco de laranja, o açúcar mascavo, a tapioca e o gengibre.

2. Cozinhe em fogo baixo por 6 a 8 horas e depois misture as cerejas no final.

3. Para servir, coloque a compota quente em pratos de sobremesa e cubra com uma bola de sorvete.

Parte 2

Instruções

A sua geladeira sempre tem sobras de comida que você nunca terminou? Suas bacias ficam com mofo de carnes e vegetais frescos? Se a sua resposta for sim, então este livro é exatamente o que você está procurando. O Desafio de 30 dias de comidas de na Panela Elétrica para Dois, oferece receitas simples e saudável e deliciosa, tudo desenvolvido para casais sem filhos ou até mesmo profissionais ocupados, com isso em mente, preparamos não mais de duas poções por receita. Com esse livro de receita, você pode embarcar no Desafio de 30 dias, com o seu marido, parceiro ou até mesmo sozinho.

Em cada receita use apenas alimentos frescos, além de alimentos sem conservantes para não causar intoxicação, ganho de peso e alergias. Você pode literalmente colocar tudo na panela elétrica e deixar na temperatura baixa durante a manhã, e esquecer lá. Não tem nada melhor do que chegar em casa no final de um longo dia, sabendo que você terá uma comina quente saudável e cheio de nutrientes. Além disso não terá que sentir culpa de comer. Você além de se alimentar de forma saudável, com comidas vibrantes, mas parará de desperdiçar sobras de comida jogando no lixo. Todas as receitas foram experimentadas e testadas e oferecem algo até para as pessoas mais exigentes!

Comer alimentos integrais é uma das maneiras mais beneficentes para rejuvenescer o seu corpo. Incontáveis estudos provam que plantas, carnes e dieta a base de peixe oferecem uma quantidade de proteínas, gordura saudável, carboidratos, vitaminas e minerais. Pode afastar doenças do estomago, reduzir peso (Que pode eventualmente te deixar suscetível a diabetes, câncer e problemas do coração), e certificar que o seu cérebro está criando o nível certo de hormônios, que pode afetar em como você dorme até quantas calorias você queima por todo dia (que está "descanse-o").

Aqueles que se concentram em uma dieta alimentar integral relatam os seguintes benefícios após a mudança, assegure-se de eliminar todos os alimentos processados e açucarados de sua dieta:

Menos indigestão e melhor capacidade de metabolizar os alimentos

Comidas integrais são cheias de fibras, que podem ajudar você na digestão e promover a regularidade. Fibras também te mantem satisfeito por mais tempo, fazendo com que você não coma besteiras e coisas não saudáveis depois.

Melhor Sono

Queo você resiste à tentação de encontrar açúcar — as vezes completamente eliminada neste livro de dieta de comida integral — Você descobrirá que seu corpo tem maior probabilidade de regular os seus hormônios, permitindo que você durma profundamente durante a noite.

Mais felicidade e tranquilidade

Comer sem pensar acontece com frequência que você está estressado, queo seu açúcar no sangue sobe e depois desce (com resultado de muito açúcar), e que você não consegue diferenciar entre fome emocional e fome de verdade. Que você focar em comidas integrais, você não irá dar ao seu corpo este falso "pico" de quantidade de alimentos processados. Seu corpo voltará ao natural, exatamente o que precisa, o que deixa o açúcar no sangue mais estabilizado e tranquilidade.

Boa sorte a você que inseriu alimentos integrais na sua dieta, construindo uma melhor relação com a comida, e se satisfazer com nutrição, apesar da sua agenda lotada. Este livro é designado para casais sem filho, fornecendo receitas saudáveis, nutritivas com apenas duas porções por receita! Não precisa de longas lista de compras ou desperdício de jantar, agora você pode economizar tempo e dinheiro preparando jantares deliciosos e saudáveis para dois em qualquer dia da semana.

Couve e Alho-Poró

Receita rende 2 porções
Tempo de preparo: 6 horas

Ingredientes:

1/2 xícara de couve picada
1 colhes de sopa de óleo de coco
1/2 xícara de alho-poró fatiado
1 colher de chá de alho picado
4 ovos
3/4 xícara de carne moída xícara
1/2 xícara de batata doce ralada

Modo de preparo:

Primeiramente, coloque o óleo de coco em uma frigideira, e derreta em temperatura médio. Depois que derreter,

adicione o alho, couve e o alho-poró. Refogue a mistura por cinco minutos
Então, ao lado, misture os ovos, batata doce, carne moída e os legumes misturados, depois cozinhe eles.

Depois, coloque a mistura em uma panela elétrica, cozinhe na temperatura baixa por 6 horas.

Depois, a parte de cima da caçarola do café da manhã deve estar levemente crocante. Sirva a caçarola no café da quente, e aproveite!

Caçarola de Cogumelo e Carne Apimentada

Receita rende 2 porções.
Tempo de preparo: 5 horas

Ingredientes:

4 ovos
1/4 xícara de leite de coco
2 cogumelos fatiados

2 linguiças sem as tripas
1/2 cebola picada em cubos
1 dente de alho picado
1/4 pimentão em cubo
3/4 xícara de batata doce ralada
1 colher de sopa de azeite de oliva
1/2 colher de chá de sal marinho
1/2 colher de chá de pimento preta

Modo de prepare.

Primeiro, coloque o azeite de coloque em uma frigideira, e deixe aquecer em fogo médio, Quando estiver quente, coloque a cebola, o alho e deixe cozinhar por 2 minutos, mexendo de vez em quando.

Então, adicione as linguiças, e corte em pedaços e deixe cozinhar por 4 minutos.

Depois, coloque as batatas doce no fundo da panela elétrica. Adicione a cebola e a linguiça por cima, junto com o cogumelo e o pimentão.

Separadamente, misture o leite de coco com os ovos, com sal e pimento. Coloque esta mistura por cima dos outros vegetais

Cozinhe a mistura em temperatura baixa por 5 horas, e sirva quente.

Carne Enrolada

Receita rende 2 porções
Tempo de preparo: Aproximadamente 2.5 horas

Ingredientes:
220g de carne de porco moída
1/2 colher de sopa de óleo de coco
1 colher de sopa de farinha de amêndoas
1 ovo
1/2 xícara de cebola em cubos
1/2 colher de semente de funcho
1/2 colher de chá de orégano seco
1/2 colher de chá de tomilho seco
1/2 colher de chá de sálvia
1/2 colher de chá de pimento preta
1/2 colher de chá de páprica

1/2 colher de chá de alho em pó

Modo de prepare:

Primeiro, coloque o óleo de coco em uma frigideira em fogo médio. Coloque a cebola no óleo de coco depois de derreter, deixe cozinhando por 3 minutos, ou até você ver que está bom, tire a cebola da frigideira.

Depois, coloque o restante dos Ingredientes – o ovo, a farinha de amêndoas, semente de funcho, orégano, tomilho, sálvia, pimento preta, páprica, e o alho em pó em uma bacia e, misture bem.

Agora, coloque a carne de porco moída e a cebola em uma bacia, use a sua mão para misturar tudo junto, tenha certeza de misturar tudo muito bem.

Depois, pegue a mistura e coloque no meio da panela elétrica. Tenha certeza que tenha um espaço entre a forma e o pão e as bordas da panela elétrica

Depois, certifique-se que a parte de cima do bolo de carne esteja liso, e com alguns tapas, feche a tampa da panela elétrica.

Cozinhe o bolo de carne na temperatura mais baixa, até o bolo de carne chegar a temperatura (utilize um termômetro, no centro) deve estar 65,5° Celsius. Isso deve levar ao menos 2 horas, porém pode levar um pouco mais – depende. Apenas tenha certeza de checar a temperatura interior

Deixe o bolo de carne descansar por 30 minutos na panela desligada antes de colocar no prato para server.

Sirva o bolo de carne a qualquer momento, ou depois que esfriar durante a noite e fatie ele no café da manhã. Você pode esquentar cada pedaço separadamente em uma frigideira, com óleo de coco ou outro tipo de óleo, em fogo médio de um à dois minutos em cada lado.

Comida Integral, Sem Aveia

Receita rende 2 porções.

Tempo de preparo: 7 horas

Nota: Essa receita funcionará melhor se você deixar as nozes de molho. Tenha certeza de deixar elas de molho durante a noite antes de fazer essa receita!

Você também precisará de um espremedor de batata.

Ingredientes:

1 1/2 Maçã, descascada e em cubos

1/3 xícara de noz crua

1/3 xícara de amêndoas cruas

1/2 colher de chá de noz-moscada

1/2 colher de chá de canela

3/4 abobora de pescoço, descascada e cortada em cubos

3/4 xícara de leite de coco

Modo de preparo:

Primeiro, cubra as nozes e amêndoas com agua e deixe de lado, deixe de molho por no mínimo 12 horas.

Sem seguida, escorra a agua das nozes e amêndoas, e coloque-as no processador. Processe tudo até que vire tipo uma "farinha".

Depois, adicione as maçãs, canela, noz-moscada, amêndoas, óleo de coco, e a abobora na panela elétrica.

Coloque a tampa da panela elétrica, e cozinhe em temperatura baixa, e cozinhe por 7 horas. Depois use o seu espremedor de batata para amassar toda a mistura até você conseguir a textura de aveia.

Sirva quente com a sua cobertura integral favorito, por exemplo, raspas de coco ou leite de coco.

Maçãs Recheadas com Figos

Receita rende 2 porções.

Tempo de preparo: 1 hora e 15 minutos

Ingredientes:

2 Maçãs Granny Smith
2 Figos secos fatiados
1/8 colher de chá de noz-moscada
1/4 colher de chá de canela
1/2 colher de chá de raspas de limão
1/4 colher de chá de raspas de laranja
1/8 xícara picada noz pecan
1/8 colher de chá de sal
1/2 colher de sopa de suco de limão
1/2 colher de chá de óleo de coco
1/2 xícara agua
1/2 colher de chá de canela (para deixar as maçãs de molho)

Modo de preparo:

Primeiro, misture os figos, noz-moscada, canela, raspas de limão, raspas de laranja, noz pecan cortada e o sal. Depois coloque o óleo de coco para derreter e o suco de limão.

Remova o centro da maçã Granny Smith, e preencha as maçãs com o recheio. Esprema o resto do suco do limão por cima das maçãs.

Depois, coloque a agua na panela elétrica, junto com a canela. Adicione as maçãs no centro da panela, e cozinhe na temperatura alta, por 1h15 minutos.

Sirva as maçãs quente, e aproveite.

Fricassê de Batata Doce

Receita rende 2 porções.
Tempo de preparo: 4 horas

Ingredientes:
1 Pimentão laranja cortado em cubos
1 Pimentão amarelo cortado em cubos
1 Batata doce, cortada em cubos
1/4 Abobora de pescoço, cortada em cubos
1 colher de chá de mostarda em pó
1/2 colher de chá de tomilho

1/2 colher de chá de alho em pó

2 Tomates, cortado em cubos

1 colher de chá de sal

2 colher de sopa de óleo de coco

1 colher de chá de pimenta

Modo de preparo:

Corte todos os vegetais em cubos, e coloque eles no fundo da panela elétrica.

Adicione os temperos e o óleo de coco. Mexa bem. Depois, coloque a panela elétrica na temperatura baixa e deixe cozinhar por 4 horas, mexendo de vez em quando

Sirva o fricassê quente, e aproveite.

Café da Manhã do Sul da Fronteira Mexicana

Receita rende 2 porções.
Tempo de preparo: 6 horas

Ingredientes:

4 ovos, mexidos
120 gramas de bacon de peru
1/2 colher de sopa óleo de coco
1/2 batata doce em cubos
1/2 cebola em cubos
115 gramas de cogumelo picado
1/2 pimentão vermelho em cubos
1 colher de chá de pimenta em pó
1 colher de chá de alho em pó
1/2 colher de chá de Páprica
1/4 colher de chá de Orégano seco
1/2 colher de chá de sal

Modo de preparo:

Primeiro, adicione o bacon de peru na frigideira e frite ele no óleo de coco, até ficar crocante. Retire o bacon da frigideira e coloque em um prato separado. Quando estiver frio o suficiente para tocar, seque ele.

Adicione a cebola na frigideira, e cozinhe até ela ficar macia. Depois, coloque a batata doce, cogumelo, pimentão vermelho, bacon, e os ovos na panela elétrica. Mexa bem a mistura.

Em seguida, coloque os temperos - pimenta em pó, alho em pó, páprica, orégano, e o sal, na mistura, mexa vem até dissolver completamente.

Cozinho o café da manhã na temperatura baixa por 6 horas. Depois, corte e sirva quente.

Sopas, Chili e Guisados Integral na Panela
Elétrica para dois

Sopa de Frango Couve e Vegetais

Receita rende 2 porções.
Tempo de preparo: 6 horas

Ingredientes:

2 xícaras de frango desfiado
1 limão
3 xícaras caldo de ossos
1 colher de sopa de suco de limão
1/4 xícara azeite de oliva
1/2 cebola em cubos
1/2 colher de chá de sal marinho
1/2 colher de chá de pimenta preta
1/2 Couve

Modo de preparo:

Primeiro, lave a couve e corte em tiras.

Depois, adicione o azeite de oliva, o caldo de ossos, e a cebola em um liquidificador, e bate por mais ou menos 1 minuto, ou até ficar cremoso.

Depois, adicione a mistura na panela elétrica, enquanto a couve, o frango, raspas de limão e o suco do limão. Para finalizar, adicione um pouco de sal e pimento a gosto, e mexa bem.

Coloca a sopa para cozinhar na temperatura baixa por 6 horas, mexa de vez em quando.

Sirva quente e aproveite.

Sopa de Maçã Abobora de Pescoço

Receita rende 2 porções.

Tempo de preparo: 6 horas

Ingredientes:

3 xícaras de abobora de pescoço picada
1 xícara de caldo de legumes
1 maçã descascada e cortada em cubos
1 cabeça de alho picada
1/2 cebola cortada em cubos
1 cenoura cortada em cubos
1/2 colher de chá de pimenta preta
1/2 colher de chá de tomilho seco
1/2 colher de chá de sal marinho
1/2 colher de chá de pimenta
1/2 xícara leite de amêndoas

Modo de preparo:

Primeiro, corte em cubos a abobora, maçã, cenoura e a cebola. Adicione eles no caldo de legumes, alho e os temperos na panela elétrica. Cozinhe na temperatura baixa por 6 horas.

Nesse ponto, coloque o leite de amêndoas, e mexa bem.

Depois, adicione a sopa no liquidificador, e bate até atingir a consistência de sopa.

Coloque o sal marinho, e a pimento preta a gosto, e sirva quente.

Sopa Vegetariana de Açafrão

Receita rende 2 porções.
Tempo de preparo: 5 horas

Ingredientes:

1 1/2 xícara de tomates em cubos
1/2 xícara de cenouras em cubos
1/2 cebola em cubos
1/2 colher de sopa de açafrão
2 xícaras caldo de ossos
1/4 xícara de aipo cortado em cubos
1/2 colher de chá de orégano
1/2 colher de chá de manjericão
1/2 colher de chá de sal marinho
1/2 lata de leite de coco

Modo de preparo:

Primeiro, misture junto os tomates, cenoura, cebola, açafrão, caldo de ossos, aipo, orégano, manjericão, e o sal marinho, na sua panela elétrica. Depois que misturar bem, coloque a tampa na panela elétrica, e cozinhe na temperatura alta por 4 horas.

Em seguida, use um mixer por imersão para bater a sopa até que ela fique com uma consistência suava. Você usar um liquidificador normal, mas cuidado ao colocar ela no copo.

Depois, adicione o leite de coco na sopa e misture bem por 3 minutos, apenas se assegure que tudo esteja misturado.

Sirva a sopa quente e aproveite.

Chili Claro de Batata Doce Apimentada

Receita rende 2 porções.
Tempo de preparo: 7 horas

Ingredientes:

340g de frango

1 xícara caldo de ossos

1/2 batata doce em cubo

55g de pimenta verde em cubos

1/2 colher de sopa jalapeños cortada em cubos

1/4 colher de chá de pimenta vermelha em pó

1/2 colher de chá de orégano

1 colher de chá de cominho

1/2 colher de chá de sal

1/4 colher de chá de pimenta preta

2 cabeças de alho picada

1/8 colher de chá de pimenta Cayenne

1/2 colher de sopa suco de limão

1/2 colher de sopa de ghee

1/4 xícara de creme de leite de coco

Modo de preparo:

Primeiro, coloque o frango na panela elétrica. Adicione a batata doce em cubos, pimenta verde, caldo de ossos, cebola, jalapeños, e o alho. Adicione o sal e a pimenta junto com os outros temperos:

pimenta vermelha em pó, orégano, cominho, e Cayenne. Mexa bem.

Coloque a tampa na panela elétrica e cozinhe na temperatura alta por 4 horas, ou na temperatura baixa por 7 horas. Depois, remova o frango da panela elétrica e deixe de lado.

Agora, adicione o creme de leite de coco, ghee, e o suco de limão na panela elétrica e mexa bem. Cubra a panela elétrica e cozinhe na temperatura alta por 15 minutos.

Enquanto o molho cozinha, desfie o frango use-o dois garfos. Adicione ele de volta a panela, e cozinho por mais 10 minutos, mexendo de vez em quando.

Sirva quente, e aproveite.

Sopa Vegetariana Macaco Robusto

Receita rende 2 porções.

Tempo de preparo: 4 horas

Ingredientes:

1 xícara de tomate em cubos

1 1/2 xícara de caldo de vegetal

1 talo de aipo picado

1 cenoura picada

1/3 xícara feijão verde picado

1/2 batata doce picada

2 dentes de alho picado

1/2 colher de chá de salsa seca

1/2 cebola em cubos

1/2 colher de chá de sal marinho

Modo de preparo:

Primeiro, coloque os tomates, aipo, cenoura, feijão verde, batata doce, alho, salsa seca, e o caldo de vegetais na panela elétrica e mexa bem. Tempere com o sal marinho.

Coloque a tampa na panela e cozinhe na temperatura alta por 4 horas. Os vegetais devem ficar moles.

Sirva a sopa quente, e aproveite.

Bacon de Peru e Sopa de Batata Doce

Receita rende 2 porções.
Tempo de preparo: 5 horas

Ingredientes:

3 xícaras de caldo de ossos
1/2 xícara de batata doce picada
1 xícara de raspas de couve de bruxelas
1 xícara de cogumelo fatiado
3 pedaços de bacon de peru, cortado em pedaços pequenos
1/2 colher de chá de sal marinho
1/2 colher de chá de pimenta preta
1/2 colher de sopa de mostarda de Dijon

Modo de preparo:

Primeiro, coloque o bacon em uma frigideira até que fique crocante. Deixe esfriar por alguns minutos, então corte em pedaços pequenos.

Depois, corte a batata doce, raspe a couve de bruxelas e o cogumelo fatiado.

Depois, coloque os pedaços de batata doce em um pote médio. Adicione uma colher de sopa de agua no pote, e cozinhe por 90 segundos no micro-ondas.

Então, adicione o bacon, os outros vegetais, e o caldo do pote no pote com batatas doce. Misture bem. Coloque a mistura na panela elétrica.

Depois, coloque o sal marinho, pimento preta e a mostarda Dijon, e misture bem. Coloque a tampa e cozinhe na temperatura baixa por 5 horas.

Por fim, remova a tampa, mexa bem e coloque sal e pimento a gosto. Sirva a sopa quente e aproveite.

Sopa de Salmão e Alho-Poró

Receita rende 2 porções.

Tempo de preparo: 1 hora e 30 minutos

Ingredientes:

1 colher de sopa óleo de coco

2 Alho-poró fatiado

2 dentes de alho picado

3 xícaras de caldo de frango

225g de salmão, cortado em pequenos pedaços

1 xícara de leite de coco

1 colher de chá de sal

1 colher de chá de pimenta preta

Modo de preparo:

Primeiro, adicione o óleo de coco na frigideira, derretendo em fogo médio.

Coloque o alho e o alho-poró na frigideira e cozinhe até que eles fiquem suave, mais ou menos 4 ou 5 minutos.

Depois, adicione o alho-poró e o alho na panela elétrica. Cubra com o caldo de frango e sal e pimenta. Coloque a tampa da panela elétrica e cozinhe na temperatura baixa por 1 hora.

Por último, adicione o leite de coco, os pedaços de salmão na panela elétrica. Coloque a tampa de volta e cozinhe na temperatura baixa por mais 30 minutos, ou até o peixe ficar macio e opaco.

Sirva quente e aproveite.

Sopa Tailandesa com Peru e Abobora de Pescoço

Receita rende 2 porções.
Tempo de preparo: Entre 5 e 7 horas

Ingredientes:

400g de leite de coco
1 xícara de peito de peru pré-cozido e fatiado

1 xícara de abobora de pescoço descascada e cortada em cubos
2 xícaras de caldo de frango
1/2 pimentão vermelho fatiado
1/2 xícara de feijão verde picado
1 colher de sopa de pasta vermelha de curry
1/2 cebola em cubos
1 limão, fatiado em rodelas
Modo de preparo:

Primeiro, adicione o leite de coco, peito de peru, abobora de pescoço, caldo de frango, pimento vermelha, feijão verde, pasta vermelha de curry, e a cebola na panela elétrica, e mexa bem.

Cubra a panela elétrica e cozinhe na temperatura alta por 5 horas. Os vegetais devem estar macio. Saiba que se você precisar sair, você pode colocar na temperatura baixa por 7 ou 8 horas sem estragar seus vegetais ou sua comida.

Nesse ponto, sirva a sopa quente, com algumas fatias de limão por cima.

Chili com Batata Doce

Receita rende 2 porções.

Tempo de preparo: 6 horas

Ingredientes:

226g de carne moída

280g de molho de tomate

220g de tomate em cubos

1 xícara de batata doce descascada e em cubos

1 xícara de caldo de carne

1/2 cebola em cubos

1 dente de alho picado

1 colher de sopa chili em pó

1 colher de chá de sal

1/2 colher de chá de pimenta preta

1/8 colher de chá de orégano

Modo de preparo:

Primeiro, coloque a carne moída emuma frigideira e cozinhe em fogo médio até que suma o rosa. Depois retire o excesso de gordura da frigideira e adicione a carne moída na frigideira elétrica, sem a gordura.

Coloque os tomates, molho de tomate, batata doce, caldo de carne, cebola, alho, chili em pó, sal, pimento preta e orégano na panela elétrica, e mexa bem.

Cozinhe na temperatura baixa por 6 horas ou no alto por 3 horas. Após isso, mexa e sirva o chili quente.

Ensopado de Porco com Cury e Leite de Coco

Receita rende 2 porções.
Tempo de preparo: 4 horas

Ingredientes:

450g de carne de porco, fatiada em (mais ou menos 5 cm)
1 colher de sopa óleo de coco
1/2 colher de sopa curry em pó
1 colher de sopa de gengibre picado
1 dente de alho picado

1/4 cebola em cubos
1/2 colher de chá de sal
1/2 colher de chá de pimenta
2 colher de chá de cominho
1/2 colher de chá de açafrão
1/2 xícara de leite de coco
200g de tomates em cubos
3/4 xícara caldo de frango

Modo de preparo:

Primeiro, aqueça o óleo de coco na frigideira em temperatura média, até derreter. Então, aumente a temperatura para o alto, e doure a carne de porco em todos os lados, tempero com sal e pimento enquanto cozinha. Isso deve levar 3 minutos em cada lado.

Depois, adicione a cebola, alho, curry, gengibre, açafrão e o cominho na frigideira, e reduza a temperaturapara a baixa. Cozinhe assim por 6 minutos, ou até as cebolas estiverem brancas. Então, despeje a mistura na panela elétrica.

Adicione os tomates, leite de coco, e o caldo de frango na panela elétrica e mexa bem.

Cubra a panela elétrica e cozinhe a carne de porco por 4 horas na temperatura alta, ou por 6 horas. Depois, passe a colher por cima para remover qualquer gordura.

Sirva o porco quente, e aproveite.

Receitas Integral de Peru e Frangos na Panela Elétrica para dois

Frango Verde Mexicano

Receita rende 2 porções.
Tempo de preparo: 4 horas e 30 minutos

Ingredientes:

450g de coxa de frango, sem osso e sem pele
1 colher de chá de cominho
1 colher de chá de sal marinho
1 Tomatillo, em cubos e sem casca
55g de pimenta chili verde em cubos
1/2 colher de chá de pimenta preta
1 alho em cubos
1/2 colher de chá de coentro moído

Modo de preparo:

Primeiro, coloque a coxa de frango no fundo da panela elétrica, e tempere com coentro, sal, cominho, e pimento preta. Espalhe bem a coxa de frango pelos temperos.

Depois, adicione os Tomatillo, pimenta verde, cebola, e o alho. Cubra a panela elétrica e cozinhe na temperatura baixa por 4 horas e 30 minutos.

Por último, remova a tampa da panela elétrica e desfie o frango usando dois garfos.

Sirva o frango ver quente, e aproveite.

Frango Amanteigado

Receita rende 2 porções.
Tempo de preparo: 5 horas

Ingredientes:

2 dentes de alho

1/2 colher de sopa óleo de coco

1/2 cebola em cubos

1/2 xícara estrato de tomate

1 xícara leite de coco

1/4 colher de chá de gengibre em pó

1/2 colher de chá de curry em pó

1 colher de chá de garammasala

1 colher de sopa farinha de tapioca

1/4 colher de chá de pimenta em pó

1/2 colher de chá de sal marinho

1/2 colher de chá de pimenta preta

450g de peito de frango, cortado em pequenos pedaços

Modo de preparo:

Primeiro, aqueça o óleo de coco na frigideira no fogo médio alto. Depois que derreter, adicione o alho e cebola, e cozinhe por 3 minutos, até que a cebola fique clara.

Depois, adicione o estrato de tomate, farinha de tapioca, leite de coco, garammasala, curry em pó, chili em pó, e o gengibre em pó. Mexa bem, até começar a engrossar. Nesse ponto, coloque sal e pimenta.

Adicione o frango na panela elétrica, e por cima do frango coloque o tempero. Mexa bem. Depois, cubra o frango e cozinhe na temperatura baixa por 5 horas.

Sirva o frango quente, e aproveite.

Cury de Frango

Receita rende 2 porções.
Tempo de preparo: 4 horas

Ingredientes:
450g de coxa de frango sem osso e sem pele, ou peito de frango
1 xícara leite de coco
1 colher de sopa de pasta de cury verde

Modo de preparo:
Adicione a pasta de cury, leite de coco, e o frango na panela elétrica, e mexa bem cobrindo o frango.

Cozinhe o frango em temperatura baixa por 4 horas.

Por último, use dois garfos para desfiar o frango e remova o frango da panela usando uma escumadeira.

Sirva o frango quente, e aproveite.

Frango com Limão e Tomilho

Receita rende 2 porções.
Tempo de preparo: 6 horas

Ingredientes:

450g de peito de frango
2 ramos de tomilho fresco
1 colher de sopa de suco de limão
2 folhas de louro
3 dentes de alho inteiro e sem casca
1/2 colher de chá de sal marinho
1/2 colher de chá de pimenta preta

Modo de preparo:

Primeiro, coloque o frango na panela elétrica.

Coloque os outros ingredientes por cima do peito de frango, incluindo o tomilho, sal e pimenta, folhas de louro, e o suco de limão. Coloque o alho envolta do frango, sem cortar.

Cubra a panela elétrica e cozinhe o frango na temperatura baixa por 6. Depois desfie o frango bem, e sirva ele quente.

Churrasco de Frango com Toque de Pêssego

Receita rende 2 porções.
Tempo de preparo: 5 horas

Ingredientes:

340g de peito de frango, sem osso e sem pele
2 tâmaras costadas sem caroço
1 colher de sopa de ghee

1/2 xícara de água fervendo

2 dentes de alho

1/4 xícara de cebola picada

1/8 xícara de vinagre de maçã

1 pêssego sem pele e cortado em cubos

170g de molho de tomate

1/2 colher de sopa de chili em pó

1/2 colher de chá de páprica, defumada

1/3 xícara molho shoyu coco aminos

1/2 colher de chá de cominho

1/2 colher de chá de cravo moído

1/2 colher de chá de sal marinho

1/2 colher de chá de pimenta preta

Modo de preparo:

Primeiro, faça o molho barbecue de pêssego e deixe pronto para o restante da receita.

Coloque a tâmara no processador de alimentos, e despeje a agua sobre a tâmara. Deixe essa mistura de lado por 5 minutos. Isso fará que a tâmara fique macias na água antes de bater.

Depois, derreta o ghee na frigideira em fogo médio. Doure a cebola no ghee por 6 minutos, ou até que ela fique macias e transparente. Adicione o alho, e cozinhe por 25 segundos. Isso trará o cheiro dele.

Em seguida, coloque a mistura de cebola e alho por cima da tâmara no processador ou liquidificador. Adicione o molho de tomate, pêssegos, vinagre de maçã, páprica, cominho, chili em pó, e o cravo. Bata a mistura, até que fique suave, e tempera usando sal e pimenta.

Depois, adicione o frango no fundo da panela elétrica. Coloque a mistura barbecue que fizemos antes sobre o frango, e espalhe até que o frango fique encharcado.

Cubra a panela elétrica, e cozinhe na temperatura baixa por 5 horas. O frango deve ficar totalmente cozido até o centro.

Por último, deixe o frango descansar por 5 minutos depois use dois garfos para desfia-lo. Mergulhe o frango no molho, e sirva quente.

Frango Cozido com Limão e Coentro

Receita rende 2 porções.
Tempo de preparo: 2 horas e 10 minutos

Ingredientes:

540g de coxa de frango
1/4 xícara de coentro picado
1 limão tamanho médio
1 colher de chá de sal marinho
1 colher de chá de pimenta preta
1/2 colher de sopa alho picado

Modo de preparo:

Primeiro, coloque o suco do limão, dentro da panela elétrica. Adicione o coentro, alho, sal e pimenta. Mexa bem, juntando tudo.

Depois, coloque o frango na panela e misture bem, tenha certeza que o frango está encharcado.

Depois, cubra a panela elétrica e cozinhe na temperatura alta por 2h. Lembre-se de não tirar a tampa enquanto o frango cozinha.

Por último, pré-aqueça o forno em 260 graus Celsius. Coloque o papel alumínio na forma e então coloque a coxa de frango nela. Cozinhe por 10 minutos, até que fique dourado, Não esqueça de virar o frango quando ele ficar dourado de um lado.

Sirva o frango com o caldo da panela elétrica, e sirva quente.

Frango Grego

Receita rende 2 porções.
Tempo de preparo: 3 horas e 30 minutos

Ingredientes:
2 Peitos de frango, médio

1 colher de chá de tempero italiano
1/2 colher de chá de sal
1/2 colher de chá de pimenta
1/2 pimentão vermelho em cubos
1 colher de sopa de suco de limão
1/2 cebola em cubos
1 dente de alho
1 colher de sopa alcaparra
1/2 xícara azeitona preta
1/2 xícara manjericão cortado

Modo de preparo:

Primeiro, tempere o frango com sal e pimento, e coloque em uma frigideira, frite em fogo médio/alto por 3 minutos de cada lado. Isso deixará o frango dourado.

Então, coloque o frango na panela elétrica. Adicione a alcaparra, azeitona, cebola, e o pimentão na panela elétrica, ao redor do frango.

Depois, misture junto o limão, tempero italiano, alho e coloque sobre o frango.

Cubra a panela elétrica, e cozinhe na temperatura baixa por 3 horas e 30 minutos. Decore o frango com manjericão, e sirva quente.

Frango com Manga e Batata Doce

Receita rende 2 porções.
Tempo de preparo: 5 horas

Ingredientes:
1/2 manga picada
1/2 xícara de suco de manga
1/2 colher de sopa de gengibre fresco
1/8 xícara leite de coco
1/2 colher de sopa de alho picado
1 batata doce em cubos
225g de peito de frango
1 colher de chá de curry em pó
2 colher de sopa pimenta Habanero
2 colher de chá de molho shoyu coco amino
1/2 colher de chá de sal marinho
1/2 colher de chá de pimenta preta
1 colher de chá de farinha de tapioca
1/2 colher de sopa raspas de coco

Modo de preparo:

Primeiro, mistura o leite de coco, gengibre, pimenta Habanero, alho, sal e o shoyu de coco amino, no fundo da panela elétrica. Coloque a batata doce em pedaços no fundo da panela.

Depois salpique o curry, sal e pimenta no peito de frango, e coloque sobre a batata doce. Cubra a panela elétrica nesse ponto e cozinhe na temperatura baixa por 5 horas, ou até o frango ficar completamente macio e a batata doce mole.

Depois, retire o frango e a batata e deixe de lado.

No outro lado, misture junto a tapioca e o suco de manga. Mexa até ficar um creme suave. Então, coloque a mistura dentro da panela elétrica.

Em seguida, coloque o frango e a batata doce de volta na panela. Cubra a panela e cozinhe na temperatura alta por 1 hora. O molho tem que engrossar enquanto cozinha.

Assim que o molho engrossar, pré-aqueça o forno em 175 graus Celsius. Adicione as raspas de coco na forma, e cozinhe elas por 10 minutos. Elas devem ficar marrom. Cuidado para não queimar elas.

Depois, quando o molho estiver engrossado, divida a batata doce, o frango, e a manga e sirva em cumbucas. Adicione as raspas de coco sobre a manga, e decore com o molho da panela elétrica.

Sirva o frango, manga e batata doce quente, e aproveite.

Frango com Alho e Erva-Cidreira

Receita rende 2 porções.
Tempo de preparo: 4 horas

Ingredientes:

4 Coxas de frango, sem pele
2 dentes de alho
1/2 cale de erva-cidreira
1/2 xícara leite de coco
1 ½ centímetro de gengibre picado
1 colher de sopa molho shoyu coco aminos
1 colher de sopa molho de peixe
1/2 cebola em cubos
1/2 colher de chá de cinco temperos em pó
1/2 colher de chá de sal
1/2 colher de chá de pimenta
1/8 xícara cebolinha picada

Modo de preparo:

Primeiro, adicione o frango, em um pote médio, coloque sal e pimento, e misture bem o tempero no frango.

Depois, adicione o alho, erva-cidreira, gengibre, molho de peixe, leite de coco, cinco temperos em pó, e o molho shoyu coco aminos em um processador ou liquidificador e bata até ficar suave.

Em seguida, coloque essa mistura sobre o frango e misture bem, tenha certeza de temperar bem o frango.

Depois, adicione a cebola no fundo da panela elétrica, e coloque o frango e a marinada por cima da cebola. Cozinhe o frango na temperatura baixa por 4 horas.

Sirva o frango quente, e aproveite.

Peru ao Molho Bolonhesa

Receita rende 2 porções.
Tempo de preparo: 6 horas

Ingredientes:

400g de purê de tomate
1 colher de chá de tempero Italiano
85g de extrato de tomate
1/4 xícara de caldo de frango
226g de peru moído
1/2 colher de chá de pimenta moída
1/2 colher de chá de sal marinho

1 cenoura em cubos
1/2 cebola em cubos
1/2 colher de sopa azeite de oliva

Modo de preparo:

Primeiro, coloque o purê de tomate, tempero italiano, extrato de tomate, caldo de frango, pimento moída, sal marinho, cenoura, cebola, e azeite de oliva dentro da panela elétrica e misture bem.

Então, divida a carne de peru moída em quadrados. Coloque na panela elétrica, e cubra com o molho sem mexer.

Coloque a tampa da panela, e cozinhe na temperatura baixa por 6 horas.

Depois de 6 horas, amasse à Bolonhesa com um espremedor de batata até conseguir a consistência correta.

Sirva quente sobre um macarrão de abobrinha, e aproveite.

Almondega de Peru

Receita rende 2 porções.

Tempo de preparo: 6 horas

Ingredientes:

450g de carne moída de peru

1/4 colher de chá de alho em pó

1/4 colher de chá de cebola em pó

1/4 colher de chá de alecrim

1/4 colher de chá de orégano

1/4 xícara amêndoas em pó

1/2 colher de chá de sal marinho

1/2 ovo batido

400g de tomate amassado

1 dente de alho moído

1/4 cebola em cubo

1 colher de sopa de vinagre de maçã

Modo de preparo:

Primeiro, ligue o seu forno.

Ao lado, misture o orégano, alecrim, cebola em pó, sal, e o alho em pó.

Adicione a farinha de amêndoa e misture bem. Adicione a carne na mistura.

Depois, misture junto a carne e o tempero até que fiquem bem misturados. Adicione o ovo batido e continue mexendo.

Forme pequenas bolas de 5cm ou menos. Depois, adicione a almondega na forma e asse por dois minutos. Em seguida, coloque as almondegas na panela elétrica com cuidado para não se queimar.

Adicione o tomate, alho, vinagre de maçã, e a cebola por cima das almondegas, e mexa com cuidado para não desmanchar as almondegas.

Cozinhe na temperatura baixa por 6 horas, e então sirva quente com molho.

Receita Integral de carne na Panela
Elétrica para dois

Carne Turca Shawarma

Receita rende 2 porções.
Tempo de preparo: 6 horas

Ingredientes:
450g lombo, fatiado em pequenos pedaços
1/2 cebola em cubos
1/2 colher de chá de alho em pó
1/2 colher de chá de noz-moscada
1/2 colher de chá de cardamomo
1/2 colher de chá de pimenta
1/2 colher de chá de allspice
1/2 colher de sopa água
2 colher de sopa de suco de limão
2 colher de sopa vinagre branco
2 dentes de algo picado
1/8 colher de chá de canela
1/2 salsa picada

Modo de preparo:

Primeiro, coloque o lombo e a cebola no fundo da panela elétrica.

De lado, misture o alho em pó, noz-moscada, cardamomo, allspice, pimento, água, vinagre branco, suco de limão e canela.

Coloque a mistura por cima da carne. Mexa bem e tempere bem a carne.

Coloque a tampa na panela elétrica e cozinhe na temperatura baixa por 6 horas. Depois, mexa bem a carne por uma última vez, e sirva quente.

Strogonoff Alemão

Receita rende 2 porções.
Tempo de preparo: 5 horas e 45 minutos

Ingredientes:

340g de lombo, cortado em pedaços
1/2 cebola em cubos
141g de cogumelos, fatiados
2 dentes de alho
3/4 xícara caldo de carne
1/2 colher de chá de alho em pó
1/2 colher de chá de cebola em pó
1/3 xícara de vinagre de maçã
1/4 xícara creme de coco
1/3 xícara molho shoyu coco aminos
1 colher de sopa amido de araruta
1 colher de sopa água

Modo de preparo:

Primeiro, coloque a carne na panela elétrica. Cubra a carne com cebolas, alho e cogumelo.

De lado, misture junto o caldo de carne, o vinagre de maçã, molho shoyu coco aminos, e o alho e cebola em pó. Coloque essa mistura por cima dos vegetais e a carne, e misture bem.

Depois, coloque a tampa da panela elétrica e cozinhe na temperatura baixa por 5 horas. Nesse ponto, adicione o creme de coco na mistura.

A parte, misture a água e o amido de Araruta em uma bacia pequena. Adicione essa mistura na panela elétrica, lentamente.

Coloque a tampa de volta na panela elétrica e deixe a mistura cozinhar na temperatura baixa por mais 45 minutos. Isso irá permitir que o tempero fique em toda a carne.

Sirva o strogonoff quente, com um fio de molho por cima.

Pimentão Recheado

Receita rende 2 porções.
Tempo de preparo: 5 horas

Ingredientes:
225g de carne moída

2 pimentões, verde, amarelo, ou vermelho

2 dentes de alho

1/4 cabeça de couve-flor, ralada até ficar parecendo um arroz

1/2 cebola em cubos

115g de molho de tomate

1 colher de chá de orégano seco

1 colher de chá de tomilho seco

1 colher de chá de manjericão seco

Modo de preparo:

Primeiro, corte a tampa do pimentão e retire as sementes. Guarde as tampas.

Depois, coloque o couve-flor ralado em uma bacia media. Adicione o manjericão, tomilho, orégano, e o alho, e misture bem, usando o seu mixer.

Então, coloque a frigideira no fogo alto e doure a carne e a cebola por 5 minutos, retirando o caldo de vez em quando.

Em seguida, coloque a carne e o molho de tomate na bacia com a mistura anterior e misture novamente.

Quando estiver quem misturado, coloque a mistura dentro dos pimentos, e coloque eles dentro da panela elétrica. Adicione as suas tampas de volta.

Cozinhe na temperatura baixa por 5 horas, sirva quando os pimentos ficarem macios e a carne cozida por inteiro. Sirva quente e aproveite.

Carne Barbecue

Receita rende 2 porções.
Tempo de preparo: 7 horas

Ingredientes:

340g de carne assada, sem osso e cortada em cubos
1 colher de sopa de azeite de oliva
1/2 colher de sopa de vinagre de maçã
85g de molho de tomate
1/2 cebola em cubos
1/4 xícara água
1/2 colher de chá de orégano, seco

1/2 colher de chá de alho em pó
1/2 colher de chá de páprica defumada
1/2 colher de chá de chili em pó
1/2 colher de chá de sal marinho
1/2 colher de chá de pimenta preta

Modo de preparo:

Primeiro, corte as cebolas e coloque no fundo da panela elétrica.

Adicione o azeite de oliva na frigideira e coloque os pedaços de carne na frigideira em fogo médio, fritando de cada lado por 5 minutos. Não se esqueça de virar.

Coloque a carne na panela elétrica com cebolas.

Depois, mexa junto o molho de tomate, vinagre de maçã, água, orégano, alho em pó, chili em pó, páprica, sal marinho, e a pimenta em uma bacia pequena. Coloque a mistura sobre a carne e cebola, e misture bem.

Depois, coloque a tampa na panela elétrica e cozinhe na temperatura baixa por 7 horas, ou até que a carne fique fácil de desfiar.

Desfie a carne usando dois garfos, e misture bem com o molho. Sirva quente.